EDGAR P. JACOBS

# EL MISTERIO de la GRAN PIRÁMIDE

## TOMO 1: EL PAPIRO DE MANETÓN

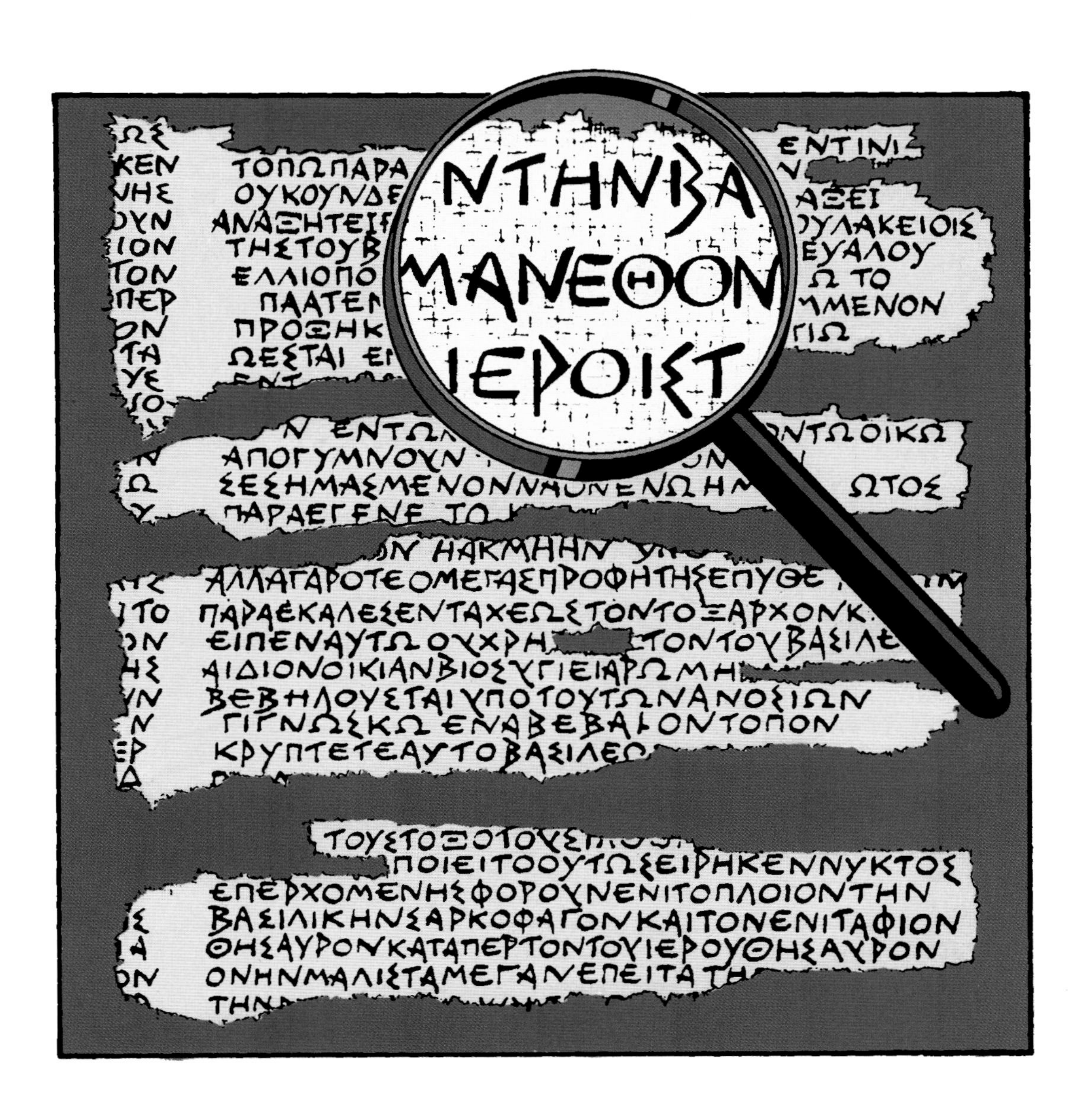

## COLECCIÓN BLAKE Y MORTIMER
(ORDEN DE LECTURA)

**DE EDGAR P. JACOBS**

El misterio de la gran pirámide (Tomo 1)
El misterio de la gran pirámide (Tomo 2)
La marca amarilla
El enigma de la Atlántida
S.O.S. Meteoros
La trampa diabólica
El caso del collar
Las 3 fórmulas del profesor Sato (Tomo 1)
El secreto del Espadón (Tomo 1)
El secreto del Espadón (Tomo 2)
El secreto del Espadón (Tomo 3)
Las 3 fórmulas del profesor Sato (Tomo 2)

**DE T. BENOIT Y J. VAN HAMME**

El caso Francis Blake
La extraña cita

**DE Y. SENTE Y A. JUILLARD**

La maquinación Voronov
Los sarcófagos del 6ª continente (Tomo 1)
Los sarcófagos del 6° continente (Tomo 2)
El santuario de Gondwana

**DE J. VAN HAMME, R. STERNE Y C. DE SPIEGELEER**

La maldición de los treinta denarios (Tomo 1)

Colección Blake y Mortimer nº1.
EL MISTERIO DE LA GRAN PIRÁMIDE TOMO 1. "El papiro de Manetón".
Título original: "Le Mystère de la Grande Pyramide tome 1", de E.P.Jacobs.
Tercera edición: septiembre 2010.

Passeig de Sant Joan 7 - 08010 Barcelona.
Tel.: 93 303 68 20 - Fax: 93 303 68 31.
E-mail: norma@normaeditorial.com
Color: Luce Daniels. Color de la portada: Philippe Biermé.
ISBN: 978-84-8431-043-3.
Printed in China.

**www.NormaEditorial.com**
**www.NormaEditorial.com/blog**

Consulta los puntos de venta de nuestras publicaciones en www.normaeditorial.com/librerias
Servicio de venta por correo: Tel. 93 244 81 25, correo@normaeditorial.com, www.normaeditorial.com/correo

# SOLO DOS PALABRAS

Sí, solo dos palabras antes de levantar el telón de la historia que voy a contarte. En efecto, para saborear y comprender mejor lo que viene a continuación, me gustaría que leyeras estas pocas líneas destinadas, como suele decirse, a situar la acción.

## El País de los Faraones

El origen de la civilización egipcia, una de las más prodigiosas de la antigüedad, se pierde en la noche de los tiempos.
Efectivamente, cuando hacia el año 3500 a.C. aparecen con el rey Menes los primeros faraones, el valle del Nilo tiene a sus espaldas un prodigioso periodo predinástico que cubre milenios. Para hacerse una idea de la inmensidad de tiempo que abarca la historia de Egipto, basta con decir que entre el faraón Keops, constructor de la Gran Pirámide, de la que trataremos en esta narración, y el faraón Akenatón, pasaron cerca de dos mil años, es decir, tanto tiempo como entre la época de Jesús y nosotros...
Por lo tanto, a pesar del inestimable descubrimiento de Champollion, a quien debemos el descifre de la escritura jeroglífica, y de los inmensos progresos de la egiptología, tan solo tenemos ciertos conocimientos someros sobre su historia. Sabemos muy poca cosa de periodos completos y de las treinta dinastías que se sucedieron en el trono de los faraones, tan solo conocemos suficientemente once. Sin embargo, hubo un hombre que pudo haber esclarecido los hechos. Ese hombre se llamaba Manetón...

## El historiador Manetón

Manetón, que vivió en el siglo III a.C., cuando Egipto estaba bajo la dominación griega, era sacerdote y compuso, a petición de Ptolomeo I, antiguo general de Alejandro Magno convertido en soberano de Egipto, una historia del país.
Sus notas, recogidas en las mismas fuentes, en las bibliotecas de los templos y en los archivos reales, debían de construir un conjunto inestimable. Pero, por desgracia, esta historia se perdió. Imagínate, pues, la importancia y el valor que para un historiador moderno tendría el descubrimiento de un fragmento auténtico de esta obra.

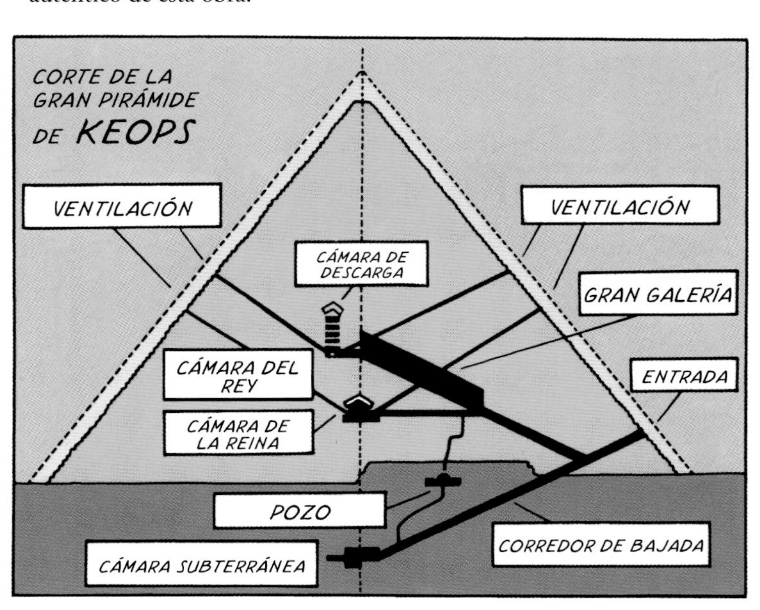


## La planicie de Gizeh

Ahora echemos un vistazo al elemento principal de nuestro decorado, el que va a ocupar el centro de la acción: ¡LA GRAN PIRÁMIDE!
Túmulo real, la Gran Pirámide de Keops, al igual que sus dos gigantescas vecinas pirámides de Kefrén y Micerinos, se alza por encima de la planicie de El Cairo.
Los egipcios, que desde los tiempos más remotos adoraban al Sol –uno de cuyos nombres, Horus, aparecerá a menudo en esta narración–, consideraban este lugar como uno de los más importantes centros del culto solar. Si observas el plano aquí reproducido tendrás, por otra parte, una noción clara de la planicie de Gizeh, cuyo suelo debe de esconder aún algún secreto, como prueba el reciente descubrimiento, a los pies de la Gran Pirámide, de una enorme Barca Solar de increíble antigüedad...

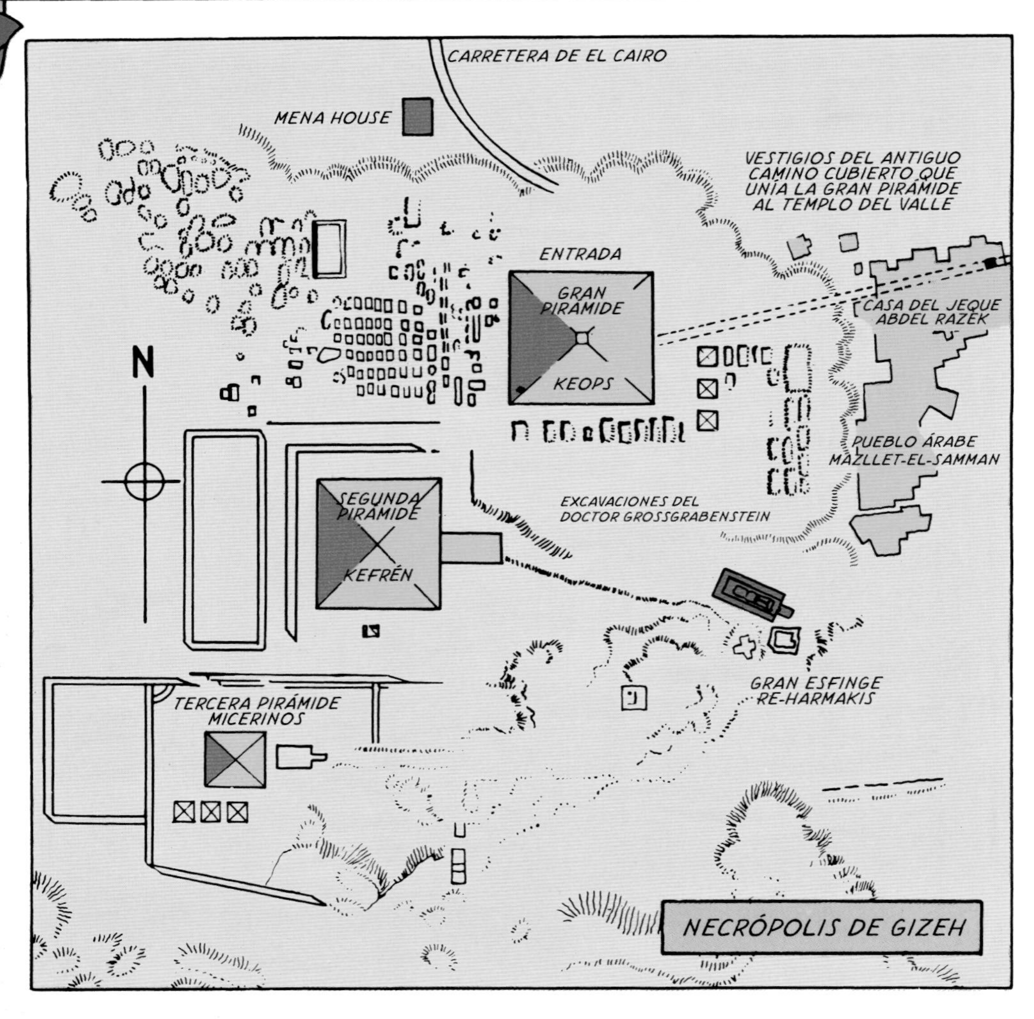


## El misterio de la Gran Pirámide

Durante decenas de siglos, el coloso que desafió victoriosamente a hiscos, asirios, persas, griegos y romanos guardó su secreto celosamente. Pero, en el año 820 de nuestra era, el califa Al Mamún (hijo del famoso califa Harúm Al Rasid de *Las mil y una noches*) decidió comprobar si, como afirmaba la leyenda, la pirámide ocultaba tesoros fabulosos. Un ejército de obreros acometieron al gigante y cuando tras increíbles esfuerzos lograron penetrar en su interior, solo descubrieron tres cámaras, a las que por error se las continua llamando "cámara del Rey", "cámara de la Reina" y "cámara subterránea". Tan solo la primera contenía gran cantidad de granito rojo. Los ingenieros se dedicaron con ahínco a excavar cámaras y pasillos, a explorar paredes y pavimentos... En vano. El famoso tesoro no fue encontrado.
Desde entonces, los siglos han transcurrido sobre este venerable monumento custodiado por su silenciosa compañera, la Esfinge, también tan antigua que ya en tiempos de Keops se la consideraba un enigma... Y el misterio de la Gran Pirámide sigue sin ser descubierto...
A él van a enfrentarse ahora, amigo lector, el profesor Mortimer y el capitán Blake.
¡El telón está a punto de levantarse! Buena lectura... y buen viaje. ¡Comienza la historia!

## La Gran Pirámide

Con su formidable masa de seis millones de toneladas, la Gran Pirámide domina toda la zona circundante. La pirámide mide 138 metros de altura y 227 metros de anchura en la base, y está constituida por un conjunto de dos millones de bloques calcáreos, la mayor parte de los cuales pesan al menos dos toneladas.
Dichos bloques (algunos alcanzan los diez metros de largo) están ajustados tan exactamente que se puede recorrer la superficie con la mano sin descubrir la juntura que los separa.
Esa masa de piedra sobrepasa en 77 metros la altura de las torres de Nôtre Dame de París, y, si la pirámide fuera hueca, la iglesia de San Pedro de Roma cabría en su interior por completo.
Sin embargo, esta maravilla, la única que subsiste -lástima- de las "Siete Maravillas" de la antigüedad, apenas se parece a lo que era cuando se construyó. En aquel entonces alcanzaba los 148 metros de altura y tenía en sus cuatro caras un recubrimiento calcáreo fino, blanco, liso y pulido, que reflejaba el sol con tal intensidad que los egipcios le habían dado el nombre de "la luz".
A finales del siglo XII, estos revestimientos permanecían aún intactos, pero un terremoto devastó la ciudad de El Cairo y los árabes, para reconstruirla, quitaron de los flancos de la Gran Pirámide parte de los materiales necesarios...

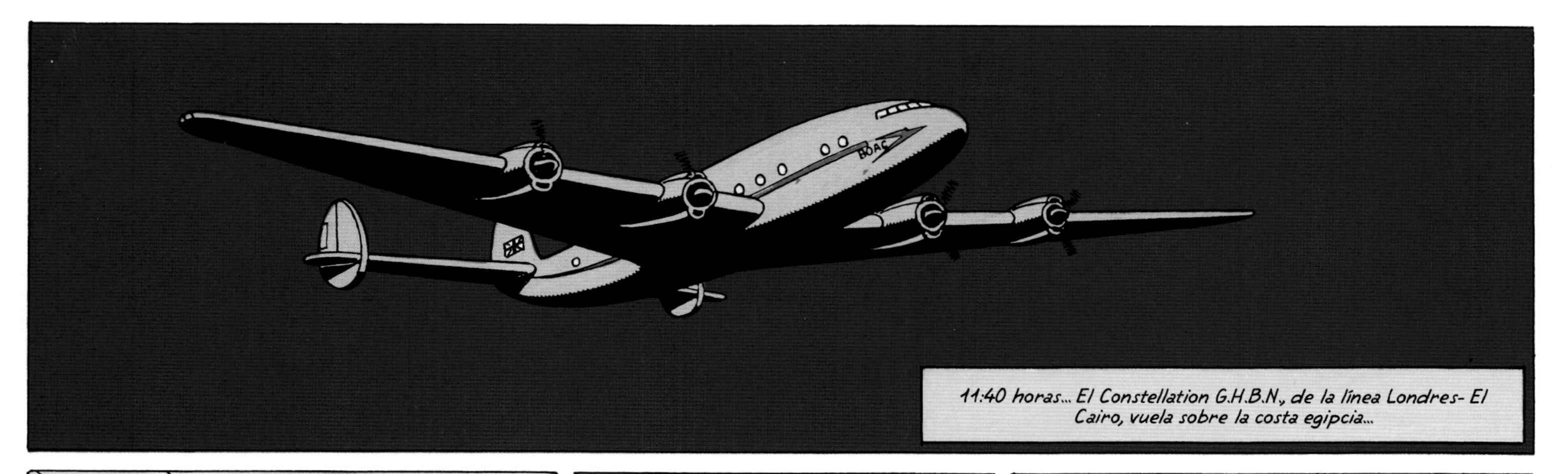

(*) Alusión al título **EL SECRETO DEL ESPADÓN 1** y **2** de esta misma colección.

Mientras Nasir va hacia la salida, de repente, experimenta la desagradable sensación de que le observan. Levanta la mirada y percibe, a través del cristal que separa la aduana del vestíbulo de entrada, a un hombre que lo mira insistentemente...

Intrigado, Nasir se dirige hacia él, pero el desconocido se bate rápidamente en retirada y se pierde al instante en medio del gentío que llena el vestíbulo. Sorprendido por esa insólita maniobra, Nasir duda un segundo...

Pero dígame, Ahmed, ¿por qué ese control tan riguroso?

Porque, desde hace algún tiempo, una banda de aventureros audaces tiene a la policía literalmente en jaque, ya que han extendido sus actividades a los campos más diversos, desde el tráfico de drogas hasta el de antigüedades, pasando por el oro y la falsificación de documentos... A ello se debe la severidad de la policía...

¡Ahí está!

Y, remontando el curso de los siglos...

¡El anciano jeque El-Beled!...

¡Qué sabiduría y qué intensa vida en su mirada!...

Ya lo ve usted, mi querido amigo. Abdul Ben Zaim está descifrando papiros procedentes de un cartonaje de momia de la época de los Ptolomeos. Como sabe, la mayoría de las veces esos cartonajes están constituidos por varias capas de papiros aglomerados. Una vez extraídos de su ganga de pegamento y cal, los papiros permiten a los investigadores realizar descubrimientos interesantes. ¿Debo recordarle el fragmento de La Odisea que se conserva en el Museo del Louvre?

Mientras hablan, el profesor Ahmed introduce a Mortimer en una sala adyacente y le invita a sentarse ante una mesa sobre la que se hallan dispuestos cuatro fragmentos de papiros...

¿Qué? ¿Qué ocurre?...
¡Ahmed!... Mire esto... ¡¡Y dígame si estoy soñando!!

Ahmed se inclina sobre el texto y...
¡Por Alá! ¡¡¡"EN LA CÁMARA DE HORUS"!!!...

¡La cámara de Horus!... ¡Es increíble!... Si hace apenas media hora estábamos mirando la piedra de Maspero, donde precisamente se menciona esta cámara...
¡Cámara cuya existencia ponía usted en duda!...

¡Pero rápido, veamos la continuación!
... "En la cámara de Horus, donde reposa desde entonces bajo la custodia de algunos fieles iniciados del VIEJO RITO, en el espléndido lugar..." ¡Eso es todo!... A menos que Abdul...

Al cabo de un instante, los dos hombres están en el laboratorio.
...¿Así que no ha encontrado usted nada más?
No, profesor, salvo este pasaje de un poema y este otro de una ordenanza real... Pero nada de Manetón.
¡Hubiera sido demasiado hermoso!

¿Ha descubierto usted algo interesante, profesor?
Interesante es poco. Algo prodigioso, amigo mío... Nada menos que un texto que hace alusión a esta célebre "cámara de Horus" citada en la piedra de Maspero.

Pues ya ve, Mortimer, cuán lejos estaba yo al invitarle para que admirase nuestro "Manetón", de pensar que ese cartonaje contenía la respuesta de uno de los más inquietantes enigmas de la historia...
Sí, mi querido amigo. ¿Ahora estará usted dispuesto a revisar su opinión con relación a las cámaras secretas y a los tesoros ocultos?

Pero escúcheme, Ahmed, tengo una idea... ¿Ese Paatenemheb, de quien Manetón copió de nuevo el texto, no había sido uno de los favoritos de Akenatón, el "faraón maldito", antes de convertirse en el gran sacerdote del templo de Heliópolis?
Efectivamente, ¿por qué?
?

Y la momia real, al igual que el tesoro funerario, tampoco ha sido encontrada, ¿verdad?
No, pero no va usted a...

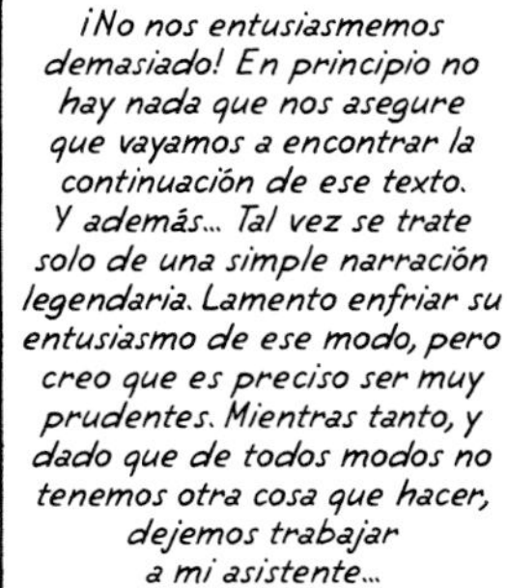
¡No nos entusiasmemos demasiado! En principio no hay nada que nos asegure que vayamos a encontrar la continuación de ese texto. Y además... Tal vez se trate solo de una simple narración legendaria. Lamento enfriar su entusiasmo de ese modo, pero creo que es preciso ser muy prudentes. Mientras tanto, y dado que de todos modos no tenemos otra cosa que hacer, dejemos trabajar a mi asistente...

En cuanto a usted, Abdul, sea diligente... y si hay algo nuevo, avíseme de inmediato...
Cuente conmigo, profesor...
¡Aunque sería muy, pero que muy extraño!
¡Vamos, querido amigo, venga conmigo! Ya volveremos a hablar de ello esta noche, cenando...

Entonces, ¿por qué no podría tratarse del tesoro funerario de Akenatón, al que se habría añadido el del templo de Atón?... ¿Un descubrimiento de ese calibre no eclipsaría, y con mucho, al de Tutankamón?
¿El tesoro de Atón?...

Aquella misma noche, en el Continental Savoy...

¡Sí, quédate tranquilo!... Los tengo a la vista... Y, a propósito, como no puedo telefonear allí, si hay alguna urgencia pasaré por debajo de las ventanas del laboratorio dando bocinazos... ¡Y espabílate! El jefe ya ha examinado lo que le has transmitido y quiere la continuación esta misma noche...

Sentados en un tranquilo rincón, nuestros dos amigos acaban de cenar...
¡Oh, no he podido dejar de imaginar hipótesis con relación a ese famoso papiro!...
¡Igual que yo!... ¿Se puede conocer el resultado de sus reflexiones?...

Pues bien, dos cosas parecen ciertas: Por una parte existe realmente una cámara de Horus. Y por otra, esa cámara contiene un secreto... Como el gran sacerdote Paatenemheb, autor del texto primitivo, lo destinaba a los archivos del templo de Heliópolis, no creo que inventara la historia...
Me parece totalmente lógico, pero continúe...

Verá, en el año 1370 antes de J.C., el joven AMENOFIS IV sube al trono, se sacude el yugo del clero de Amón e instaura el culto de Atón, dios único simbolizado por el disco solar... Tras lo cual, abandona Tebas para fundar una nueva capital y se cambia el nombre de Amenofis por el de AKENATÓN... Pero su reinado es corto y él, agotado, muere pronto. Los sacerdotes de AMÓN recobran enseguida su antigua preponderancia y en su deseo de borrar hasta el recuerdo del atrevido innovador, proyectan destruir su momia. Supongo que es entonces cuando Paatenemheb, antiguo favorito de AKENATÓN, decide sustraer la momia real y el tesoro de ATÓN a los ultrajes de sus enemigos, escondiéndolos en la cámara de Horus...
Alumno Mortimer, se merece usted un diez...

¡Sí, ríase! ¿Pero ha pensado en lo que podría ser el tesoro de un faraón tan ilustre como AKENATÓN, teniendo en cuenta las riquezas amontonadas en la tumba de su débil sucesor TUTANKAMÓN?...
La verdad es que no me atrevo a pensar mucho, mi querido amigo. Y le confesaré que, tras mi aparente escepticismo, me siento tan impaciente como usted por proseguir las investigaciones. Me he pasado toda la tarde esperando la llamada de Abdul.

Pero, ¿por qué no vamos al museo a echar un vistazo? Los últimos papiros deben de estar ya secos y podrán leerse... Además, aunque no haya nada interesante en ellos, ¿por qué no averiguarlo?
¿Ir al museo a estas horas?...

¡Lo hago a menudo!... Incluso trabajo mejor por la noche...
All right! ¡En ese caso, le acompaño!...

¡Oh! Se disponen a marchar... ¡Rápido! Tengo que salir a toda prisa...

Mi coche está al otro lado... No tardaremos ni cinco minutos, el museo está a dos pasos...
¡El museo!... ¡No puedo perder ni un minuto!...

El hombre se precipita hacia un coche aparcado junto a la acera cuando, de repente...
¡Eh!... ¡Un momento!...
?

Un guardia acaba de aparecer detrás del chófer y le llama la atención...
¿Así que usted es el dueño del Lincoln? Hace una hora que le estoy esperando... ¿No sabe usted que está prohibido...?
Perdone, pero creía...

...Y mientras el policía sigue hablando...
¡Qué mala suerte!
...ve alejarse el Austin del profesor Ahmed...

...que minutos después se detiene ante el Museo Egipcio...
¡Vaya! ¿Qué pasa?... ¡Luz en el laboratorio!...
Tal vez el servicio de guardia...

Los dos hombres cruzan rápidamente los pasillos oscuros y se dirigen hacia el laboratorio...
¡Y la puerta está cerrada!...

...en el que entran de inmediato.
¡¡¡Abdul!!! ¿Qué hace usted aquí?
¡¡¡Oh!!!

Ejem... Discúlpeme... Su brusca irrupción me ha asustado, la verdad... No podía separar mi pensamiento de esa "cámara de Horus"... y... ante la idea de que ese cartonaje contenía tal vez la clave del enigma, no pude resistir la tentación de proseguir la investigación... El jefe de guardia me abrió... Espero que sabrán ustedes comprender...
¡Vaya, así que usted también!...

Sí, le comprendo... es la misma curiosidad que nos ha traído a nosotros... ¿Y, claro está, no ha descubierto usted nada nuevo?
No. Lástima, profesor. Vea usted mismo...
¡Hubiera sido demasiado hermoso!...

¡Señor Abdul, creo que se le han caído unos documentos, ahí, debajo de la mesa...!
¿Unos... unos documentos? Sí, sí... ¡Ah, gracias, profesor... muchas gracias!...

En ese momento, el Lincoln negro llega en tromba...
¡Demasiado tarde!...

¡Da igual...! Tocaré el claxon...

¡EUH!
¡EUH!
¡EUH!
?
?
?

Mortimer se asoma instintivamente a la ventana con el tiempo justo de ver desaparecer un Lincoln en la noche...
?

¡Qué salvaje! ¿Cómo se puede tocar la bocina así, por las buenas?...
¿Quién sabe? ¡Tal vez tenía alguna razón!... ¿Qué opina usted, señor Abdul?...
¿Yo?... ¿Por qué habría de saberlo?...

En fin, creo que no tenemos nada más que hacer aquí esta noche...
¡De acuerdo! ¡Levantemos la sesión!...

Mientras tanto, molesto por la mirada inquietante de Mortimer, Abdul, que se ha apresurado a recoger sus papeles, abandona el laboratorio...

Sin observar, en su precipitación, que un fragmento de papiro se ha deslizado bajo la mesa...

Pero Mortimer lo ha advertido y, cuando los dos hombres salen del laboratorio, coge rápidamente el documento...

...metiéndolo en su cartera...
¿Viene usted, Mortimer?
Sí, sí, ya voy...

Y al cabo de unos instantes...
¡Uf!

¡Está usted pensativo, mi querido amigo!...
Sí, así es. Le confieso que me siento decepcionado... Y además, he sentido una sensación extraña... ¿Cómo le diría? Su actitud me ha parecido singular... ¿Está usted pensando algo?

¡Caramba, Ahmed, va usted a pensar que soy muy complicado! Pero lo que presiento es tan grave que le rogaría no me preguntase en estos momentos, todo lo que le pido es que confíe en mí y me permita intentar un pequeño experimento...
¿Un experimento? ¡Explíquese!

Mientras tanto, Abdul se ha precipitado a una cabina telefónica...
¿Oiga? ...Soy Ben... Sí, acaban de marcharse... Razul ha estado a punto de echarlo todo a perder con su claxon...

Sí, debí figurármelo... Se ha comportado como un imbécil... ¿Y bien?...¿Hay algo nuevo?...

He descubierto un fragmento muy importante que es la continuación del documento que le transmití esta tarde... Se compone de dos trozos muy estropeados... ¡Creo que se trata del itinerario que conduce a la cámara de Horus!... Pero, desgraciadamente, acabo de darme cuenta de que me falta uno de los...

...fragmentos y... se lo aseguro... no sé... Ahmed ha interrumpido en el preciso momento en que estaba metiendo los documentos en mi cartera. Con los nervios, se me cayeron algunos papeles, entre ellos el fragmento en cuestión... Ha debido de deslizarse bajo un mueble... No, esta noche es imposible... Mañana por la mañana... Esté tranquilo, estoy seguro de que lo recuperaré...

¡Así lo espero, por su propia seguridad!... Mientras tanto, envíeme inmediatamente el dossier por la vía K... ¡Buenas noches!...

Al mismo tiempo...
De acuerdo, y a pesar de que todo ello me parece un tanto rocambolesco, puede contar conmigo... Todo se hará según sus deseos...
¡Gracias!... Me gustaría equivocarme, pero... ¡hasta mañana!

Unos instantes después, Mortimer, ya en su apartamento, es recibido por su fiel sirviente...
Buenas noches, sahib.
Buenas noches, Nasir... ¡Ah!, dime, el coche de ayer noche... era un Lincoln, ¿verdad?
Sí, sahib, un Lincoln negro...
Un Lincoln negro... Sí, eso es...

Al día siguiente al atardecer, en una calleja del barrio viejo...

Abdul, que se ha detenido ante una puerta semiescondida, golpea de forma convencida...
Soy yo...

¿Está aquí?...
Sí... ¡y es mejor que te diga que está de un humor de perros!...

Es Abdul.
¡Que pase!

¡Vaya, por fin!... ¡Se hace usted de esperar!... Bueno, vayamos al grano, ¿tiene usted ese papiro?...
Pues no... ¡Todavía no!...

!¿Qué?!
Por favor, permítame que le explique... Tuve que trabajar en los archivos con Ahmed... y durante todo el día no me dejó solo ni un segundo...

¡Conque esas tenemos! ¿No intentará usted, por casualidad, actuar por su cuenta?...
¡¡¡Yo!!!...

¡Conteste, cretino!... ¿O prefiere que le mande al gran jefe?...
¡No! ¡No!... Usted ya sabe que soy fiel... Estoy seguro de que encontraré el documento que falta... Tenga usted paciencia hasta esta noche... volveré al museo y...

¿Esta noche?... De acuerdo... Pero no irá usted solo... Yo le acompañaré... No me fío de su semblante hipócrita.
Pero es imposible... ¿Cómo va usted a entrar?...

¡Apáñeselas, es asunto suyo!... Esté en la entrada de El Khideiwi Ismā'īl Bridge a las 9... Y recuerde que el jefe detesta los imbéciles... Otra broma como esta.... ¡Y ya sabe lo que le espera!...
Sí... Sí... Cuente conmigo...

Esa misma noche, delante del Museo Egipcio...
Si sigue el camino que le he indicado, no puede usted equivocarse... Pero tenga cuidado con la ronda de las 21:30, el...
¡Abrevie, ya lo he entendido!... Lo único que le pido es que entretenga al portero y me ayude a entrar... Del resto me encargo yo... Usted váyase al laboratorio: acudiré allí en cuanto la vía esté libre..

Al cabo de un momento...
¡Ah! ¡Es usted, effendi! ...¿Aún tiene trabajo?
Sí... Buenas noches, Alí...

El profesor Ahmed me ha encargado que venga a recoger algunos documentos que precisa... ¿Quieres darme la llave del laboratorio?...
¡Cómo no, effendi!...

El portero se aleja a buscar la llave y Abdul abre rápidamente la puerta de entrada...
¡¡Rápido!!

El desconocido se desliza con rapidez en el vestíbulo y desaparece en la oscuridad...

Aquí tiene la llave, effendi... ¿Quiere usted una linterna?
No, gracias... Conozco el camino... Hasta ahora...

Unos instantes después, Abdul, tras lazar una furtiva mirada tras de sí, penetra en el laboratorio...

Los minutos transcurren... En el museo desierto, inundado por la luz de la luna, todo parece soñar con un pasado inmemorial... De pronto, aparece una silueta que avanza lentamente, con la ayuda de una linterna...

Se trata de Mohamed Zaim, el guardián jefe, que efectúa su ronda... Pero, súbitamente, se detiene...
¡Ah! ¡Aquí está!...

Cerca de la figura colosal de Akenatón, el faraón maldito, una sombra acaba de moverse...

El guardián jefe, que acaba de aproximarse, murmura rápidamente...
¡Venga pronto!... ¡Está en el laboratorio!...

Pero no puede acabar la frase; una mano lo agarra del cuello al tiempo que una porra manejada con fuerza lo derriba antes de que haya tenido tiempo de lanzar un grito...

El desafortunado guardián se ha desplomado, pero...
¡Diablos! ¡Me ha arrancado el pañuelo!...

Con el ruido de la caída, un hombre acaba de aparecer en la entrada de la sala: es el profesor Mortimer.
?
El ruido venía de este lado...
¡Maldición! ¡Hay alguien!... ¡Escondámonos!...

¡Caramba!

¿El guardián jefe?... ¡Aporreado!... Abdul no puede ser... ¿Entonces?...

Ahora es el momento...
Alguien debe de estar escondido por ahí...

Abandonando su escondite, el hombre se dirige corriendo hacia los pilares centrales...

...pero un ruido ligero hace que Mortimer se gire...
!

...y se lance, sin dudarlo un segundo, a cortarle la retirada al que huye. Sin embargo, este, que esperaba tal reacción, retrocede.

...y cuando el profesor llega al otro lado...
¡Ha desaparecido! ¿Dónde diablos puede haberse metido?...

...Da vueltas alrededor de los pilares y llega de nuevo al punto de partida...
¡No lo entiendo!...

Sin embargo, hubiera jurado ver una sombra desaparecer detrás del pilar...

Y de repente se paraliza, ya que...
?

...en la mano crispada del guardián acaba de percibir un pañuelo de seda negro...

Pero mientras el profesor se inclina sobre el desafortunado MOHAMED ZAIM, una sombra amenazante surge silenciosa del recodo oscuro de la "puerta falsa"...

No obstante, en medio del silencio, Mortimer acaba de notar a sus espaldas un aliento jadeante...
?

Se gira con rapidez y lanza un grito de estupor. Iluminado por la linterna, acaba de reconocer el rostro de su implacable enemigo
¡¡¡OLRIK!!!

Ni siquiera tiene tiempo de esbozar un gesto de defensa, puesto que la porra se abate sobre él con violencia...
¡¡¡Yo mismo!!!

La curiosidad es un feo defecto, profesor... Pero ya arreglaremos nuestras cuentas más tarde...

¡Y ahora al laboratorio, deprisa!...

¿Y bien?
¡Nada!... No lo entiendo... Porque estoy seguro de que...

¡No se canse más! El jefe sabrá apreciar sus servicios como conviene. Pero, mientras tanto, tengo una buena noticia que darle. Mortimer estaba aquí esta noche... Para ayudarle a usted en sus investigaciones, supongo...
¿Cómo? ¿Qué está usted diciendo?... ¿Dónde está?...

Por ahí, en una de las salas del museo, descansando apaciblemente en compañía de un guardián demasiado curioso...
¿Cómo? ¿Los ha matado?... ¡Es horrible!... ¡Estoy perdido!

¡Calma, amiguito, calma!... Los caballeros están simplemente un poco mareados...
De todos modos, estoy comprometido... ¿Qué va a ser de mí?...

La verdad es que estamos metidos en un buen lío... Pero como soy buena persona y... además, aún nos puede usted ser de utilidad, voy a sacarle de esta.
Haré lo que sea, pero sálveme... ¡Se lo ruego!...

¡Basta de lamentarse! Conténtese con quedarse aquí tranquilamente, a la espera de mis instrucciones... ¡Y cuidado con lo que hace o dice!
¿Qué he de hacer?

Muy sencillo. Decir que alguien le aporreó en cuanto cruzó la puerta. Además, voy a encargarme personalmente de dar verosimilitud a su versión... Sé que es un momento difícil de pasar, pero más vale esto que veinte años de trabajos forzados... Y ahora, hágame usted el favor de girarse...
¿Girarme?... ¿Pero, por qué?...

¡Vamos, vamos! ¡No perdamos más tiempo con palabras inútiles!... ¡Atención, le dolerá un poco! Happy dreams, mister Abdul!...
?

Dos horas después en el Museo Egipcio, mientras el comisario Xamal termina su interrogatorio en el despacho del director...
¿Qué tal están los heridos?...
¡Bah! No ha sido nada grave... Una ligera conmocion...

Señores, resumamos: hacia las 21:15, el señor Abdul, asistente del profesor Ahmed, entra en el Museo y se dirige directamente al laboratorio para recoger unos documentos. Un cuarto de hora después, el guardián jefe Mohamed Zaim comienza su ronda habitual. Al pasar por la sala 7 y creyendo reconocer la silueta del profesor Mortimer, se acerca y es aporreado sin poder esbozar siquiera un gesto defensivo. En ese momento, el profesor Mortimer sale del despacho del director, donde estaba trabajando, y oye un ruido sospechoso. Se precipita y descubre el cuerpo inconsciente del guardián jefe. Pero cuando se inclina hacia este, un porrazo lo desploma. Al cabo de unos instantes, el asistente Abdul sale del laboratorio y es aporreado a su vez en el mismo instante en que franquea el umbral. Por último, hacia las 22 horas, el guardia Hassan descubre a las víctimas y da la alarma... ¿Estamos todos de acuerdo?
Perfectamente...

Dado que las piezas pertenecientes a los grandes museos son prácticamente invendibles y que el agresor operó solo, concluyo de todo este conjunto de hechos que se trata de algún desequilibrado que, tras haberse dejado encerrar, se vio súbitamente sorprendido y, perdiendo toda su sangre fría, comenzó a aporrear a diestro y siniestro para escapar finalmente sin llevarse nada... ¿Qué piensa usted de ello, profesor Mortimer?...

El profesor Ahmed se dispone a hablar, pero Mortimer lo detiene con un discreto pisotón...
Pero...
Comparto enteramente su opinión, comisario...

Bien, por el momento eso es todo. Pero estén seguros de que se proseguirá la investigación con la mayor atención... ¡Buenas noches, señores!

¡Ya ve usted, mister Abdul, adónde puede conducir la pasión por la egiptología! Si no hubiéramos tenido la tonta idea de ir al museo, tanto usted como yo nos habríamos ahorrado este penoso contratiempo.
¡Hasta la vista, comisario!... ¡Buenas noches, mi querido Zaim!...
¡Tiene usted razón, profesor!...

Mi querido Mortimer, qué emoción me ha causado usted al telefonear hace un rato para notificarme los extraños acontecimientos que acaban de desarrollarse en el museo... ¿Al menos ha dado resultado el experimento que quería usted hacer?...
¡Más del que yo podía esperar! ¡Esta noche ha sido tan fértil en enseñanzas interesantísimas, que no lamento en absoluto el chichón en el occipital!...

¡Bueno! En ese caso va usted a decirme, en primer lugar, ¿qué esperaba encontrar en el museo esta noche? Y en segundo, ¿por qué no le ha contado todo el asunto a la policía?

Con mucho gusto: sepa usted que ha sido bajo mi consejo, y de total acuerdo conmigo, que el comisario, debidamente informado, ha dado a la investigación ese aire superficial.
¡Ah!... ¿Y a qué se debe ese método tan particular?...

Para tranquilizar a Abdul, ese pillo que tiene usted como asistente, y hacerle creer que nos ha engañado a todos. Porque, por supuesto, la agresión de que ha sido víctima solo ha sido, en realidad, una muy hábil comedia...
¡Qué!... ¡Abdul!... ¡Pero, veamos!... ¿Por qué lo habría hecho?

Porque es el cómplice de un personaje muy peligroso, una especie de "Superman" de la ilegalidad. La naturaleza del asunto en el que ese tipo ha embarcado a su asistente no es difícil de adivinar: tráfico de antigüedades, para el que Abdul está particularmente bien situado. Le habrán hecho víctima de algún chantaje para lanzarlo a las garras de ese hombre implacable, que lo tiene así a su merced.
¡Me parece una fantasía!... ¿Pero quién en ese personaje peligroso del que habla usted?...

¡El "Coronel Olrik"!... Ese aventurero prodigioso, consejero del sanguinario Bazam Damdu durante la última guerra, y a quien se creía muerto. Pero está bien vivo y ha vuelto a sus malhechoras actividades. ¡Puedo predecirle sin temor a equivocarme que los próximos días serán fértiles en emociones fuertes!...

Verá... Anteayer por la noche recogí, sin saberlo Abdul, cuya actitud me había hecho sospechar, un fragmento de papiro que se le cayó en el momento de nuestra llegada imprevista al laboratorio.
Queriendo estar tranquilo, le rogué a usted que me dejase intentar un experimento consistente en mantener a Abdul alejado del laboratorio todo el día, con el fin de obligarle a volver por la noche; hecho que, en mi opinión, debía demostrar su culpabilidad. So pretexto de trabajo permanecí en el museo para atraparlo con las manos en la masa, pero...

¡El astuto canalla!... En estos momentos ya no me sorprende que haya ido directo al documento... Telefoneando en su nombre a Nasir, no era de extrañar que este le facilitase sin desconfiar la información... Pero vamos a ser buenos jugadores. Olrik ha ganado la primera partida... ¡La segunda es nuestra!... Wait and see!...(1)

(1) ¡Paciencia! (dicho en inglés).

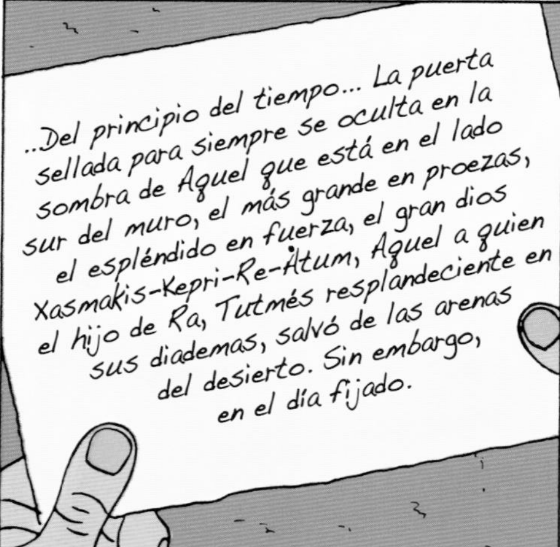

Pues bien, a mi entender, y teniendo en cuenta el carácter simbólico de la lengua sagrada, querría decir que la entrada que conduce a la "cámara de Horus" debe encontrarse en la sombra del gran dios Harmakis, es decir, de la gran Esfinge de Gizeh.

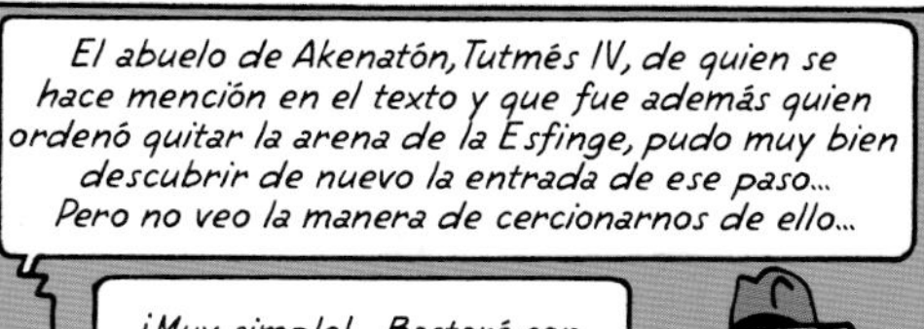

Mientras tanto, en el Continental, Ahmed vuelve a leer la copia del papiro que Olrik arrebató a Mortimer...

...Oculta en la sombra de... ...Sur del muro... El espléndido en... ...Kepri-Re-Atum... ...Tutmés, resplandeciente.

Un cacharro increíble de la época heroica del automovilismo está aparcado delante de las escaleras.
By Jove!

¿Qué es eso, Zaim?... ¿Una excavadora?
¿Se refiere usted al automóvil de...?
¿Un automóvil, eso? Seguramente debe de tratarse de un modelo predinástico... ¡Ja, ja, ja!
¡Bueno!... Es que...

Sin comprender los signos desesperados que Zaim le dirige, Mortimer retrocede riendo y choca con un curioso personaje.
¡Oh, perdón!

¡Parece usted muy contento, señor!
Quién no lo estaría al contemplar este venerable vestigio de los primeros esfuerzos del genio humano...

Pues bien, señor, este venerable vestigio, como usted dice, es mi coche. ¡Y no veo que tenga nada de gracioso!
¡Pero yo!...
Afortunadamente, el profesor Ahmed interviene...
¡Permítame!... ¡Mi amigo el profesor Mortimer! ¡Herr Doktor Grossgrabenstein!

¡Cómo!... ¿Qué dice usted?... ¡El profesor Mortimer! ¡El ilustre inventor del Espadón!... ¡Qué sorpresa!... ¡Encantado!

¿Le gusta la egiptología? ¿Sí?... ¡Muy bien!... entonces venga un día de estos a ver mis momias... ¡Ahora me marcho!... Auf wiedershen!
¡Hasta la vista!
¡Gracias!

¡Que nadie toque mi coche! ¡Maldición!

¡Para usted, joven! Gracias por haberme vigilado el coche.
?

Herr Doktor Grossgrabenstein arranca levantando un ruido infernal.

¿Quién es ese loco?
Uno de los mejores egiptólogos aficionados que conozco. Justamente acaba de obtener un permiso de excavación para la tumba de TANITKARA... Le aconsejo que responda a su invitación. ¡Su colección es única, créame!

Muy bien, lo pensaré... ¡Pero ante todo, hábleme de su último descubrimiento!
¡Por supuesto!... ¡Vayamos a mi despacho!

El texto que he descubierto debía de formar parte, en mi opinión, del final del relato de Paatenemheb; desgraciadamente, es muy corto y, sobre todo, muy oscuro.
Siento gran curiosidad...

Al cabo de unos instantes, el profesor Ahmed muestra a Mortimer el texto que ha conseguido identificar...
Vea: "...Por el camino secreto Iniciado, vendrá entonces el enviado del Alejado, con el fin de recuperar el Disco de Oro, imagen sagrada del Único y..." ¡Eso es todo!

No me atrevería a decir que es mucho... ¡y sin embargo, algo me sugiere que nos estamos quemando!
¿Siempre esa cámara secreta?...

...¡Lástima! Temo que se esté usted dejando llevar demasiado por los espejismos de la egiptología novelesca.
¡Tal vez!... Pero...

...Suponiendo que tal cámara exista y que encierre las preciosas reliquias del templo de Atón, ¿no es natural suponer que Paatenemheb y sus compañeros, atisbando una posible resurrección del culto, hubieran dispuesto un pasadizo secreto, conocido tan solo por los iniciados, y que llegado el momento permitiera ir a recuperar en su escondite el Disco de Oro, la imagen de Atón, el Único?

¿Cómo? ¡Otro pasadizo! ¡Los constructores de entonces habrían establecido dos entradas para la cámara de Horus! ¡Parece una novela policíaca!
¡Ah! ¿Usted cree?...

Tenga en cuenta que su hipótesis es muy seductora y su argumento es coherente. Sin embargo... ¿Pero qué está usted haciendo?

Mortimer, que desde hace algunos instantes se ha ido aproximando poco a poco a la puerta, salta de repente...

¡Vaya, qué sorpresa! ¡Nuestro querido Abdul!

¿Qué le ha ocurrido?...
Me... me había parado un instante... para leer... Estaba tan concentrado que... yo ...

...Me apoyé sin darme cuenta contra la puerta... y de repente se abrió...
¡Cómo lo siento! ¡Podía usted haberse roto el cuello!
Y ahora hasta la vista, y discúlpeme... Pero la próxima vez sea usted más prudente.

¡Escuchar detrás de las puertas!... ¡Qué desfachatez!
¡El pobre diablo obedece órdenes! Pero que esto nos sirva de lección y nos recuerde el viejo dicho de la guerra: "Atención, el oído enemigo está escuchando..."

Un poco más tarde...
Creo que me ha perdido la pista. ¡Rápido, entremos!...

...Sí... Habitación 77... ¡Oiga!... ¿Señor Hilton?... Soy Abdul... No, nadie me ha visto... He conseguido despistarlo pero me resulta cada vez más difícil. Ya casi no puedo dar un paso sin que uno de esos horribles policías me siga...

¡Bien! ¡Bien! Ya me sé todo eso... A partir de hoy no vuelva a telefonear aquí... No, ni siquiera desde una cabina... Excepto en caso de extrema urgencia, y entonces desde donde usted sabe... ¿Qué?... Las órdenes le llegarán en el momento preciso, estese tranquilo. Bueno, ¿qué quería usted decirme?...

Mire: en primer lugar, Grossgrabenstein ha venido a retirar su autorización para excavar... No, no ha habido ningún incidente... Tan solo una ligera perturbación provocada por su coche... Por otra parte, Ahmed ha descubierto un nuevo fragmento de papiro... Sí, parece ser que se trata de la existencia de un posible segundo pasadizo...

¡Oh!... ¿Seguro?... Es la opinión de Mortimer... Muy interesante, siga ese asunto de cerca... ¿Eso es todo?... Bien, otra cosa: vaya a la esquina de Sharia Sulimán Pasha y Sharia Fuad El Auwal mañana por la tarde, a las 7... y recuerde lo que le he dicho sobre el teléfono...

Al día siguiente, por la tarde, Abdul sale del museo. Pero...
Ese es el hombre... Ahora es tu turno... Buen paseo... ¡Y desconfía! Es astuto...
No te preocupes...

Sin darse cuenta de que le siguen, Abdul va tranquilamente por Sharia Sulimán...

Seguido por el policía, que se dispone filosóficamente a dar un pequeño paseo. Pero...

En la esquina de Sharia Fuad El Auwal, un coche negro se detiene y...
¡Ahí están!...
¡Ve!...
LINCOLN

¡Tranquilo, que a mí no me vas a engañar!
¡A ver qué tal sale!
Sharia Fuad: ¿Cómo deshacerme de él?

Hey there! Can you give me a light?

Y mientras el astuto tipo distrae la atención del policía, Abdul se mete en el coche.

O.K. Thanks!...
CLAC

¡Eh! ¿Puede usted darme fuego?
?
MIAMI

Ha salido perfecto...
!

Mientras el tipo del cigarrillo se pierde rápidamente entre la muchedumbre, el policía corre furioso en busca de un taxi... pero un respetable caballero, sumido en la lectura de su diario, avanza en sentido contrario...
¡Oh! Se le cayó el libro...

...y de repente se produce lo inevitable...

¡Oiga usted! ¿Por qué no se fija un poco por dónde va?...
Discúlpeme... Pero, ¿no es usted el profesor Mortimer?...
Sí... ¿Por qué?...
Soy el inspector encargado de seguir al ayudante Abdul...

De acuerdo, pero esa no es una razón para arremeter contra la gente de esa manera...
Profesor, Abdul acaba de escapar hace un instante en un coche...

Vea, es el coche negro que está a punto de girar allá...
Hell! ¡El Lincoln negro!

Y aquí tiene el libro que se le cayó...
Sí, es el mismo que llevaba el otro día...

¡Un taxi!... Ya hablaremos de esto más tarde... ¡Taxi!

Somos policías. Alcance ese Lincoln negro y corra a toda velocidad... Yo me responsabilizo de todo.
¡Bien, Efendi!...

Y el taxi se lanza a toda velocidad por entre el tráfico...

Si la luz está roja en el próximo cruce, quizás podamos alcanzarlo...
Inch Allah!...

Vaya, Sharkey... ¡Nos persiguen!
¡No te preocupes, Sonny! Esa cafetera no alcanzará nunca nuestro ocho cilindros...

Pero en el cruce la luz roja acaba de encenderse...

¡Deprisa! ¡Ya casi lo tenemos!...
GAN

¡Diablos! ¡La luz roja! ¡Bah, da igual!
312

Y arrollando lo que encuentra a su paso, Sharkey logra salvar el cruce con el Lincoln...

Ante la situación, Mortimer quiere también saltarse el semáforo, pero...
HOES FLORSHEIM
¡Siga! ¡Siga! ¿Pero qué hace?...

...el taxi se ha lanzado una fracción de segundo demasiado tarde y...

¡Pero bueno! ¿Qué está pasando aquí?

¡Policía! Estamos persiguiendo a unos peligrosos malhechores...
¡A sus órdenes, inspector!...
Ocúpese de este asunto. Voy a prevenir al comisario Kamal...
¡De acuerdo, profesor!

Al cabo de media hora, en la comisaría...
¡Ya está hecho!... Acabo de informar a todas las comisarías. Va a establecerse una gran vigilancia en toda la ciudad y sus alrededores...
¡Me parece perfecto!... Pero desconfíe usted de Abdul. Es un astuto pillo...

¡Tranquilícese! ¡Vamos a ocuparnos seriamente de él!...
¡Buena suerte!... Téngame al corriente...
Un instante después, Mortimer se encuentra de nuevo en la calle...
¡Uf! Y ahora una buena pipa...

¿Qué es esto? ...¡Ah, sí! El libro que Abdul perdió... Veamos...

GROSSGRABENSTEIN
AUTOPSIA DE UNA MOMIA DE LA XXI° DINASTÍA
DICIONES JUNIOR

¡Oh! Una obra del chiflado ese... ¡Vaya título!... ¡Y hay una dedicatoria!...

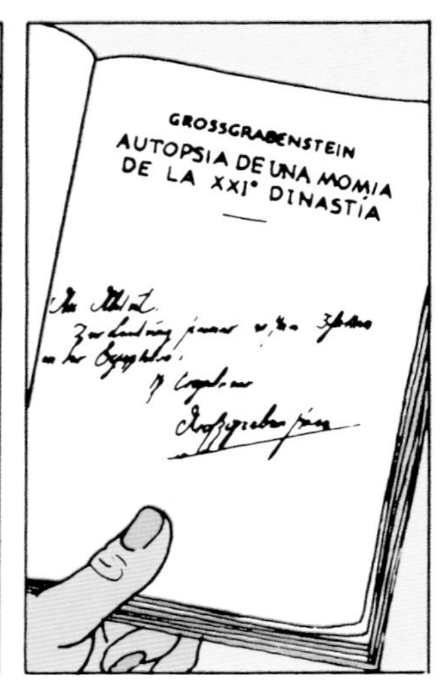
GROSSGRABENSTEIN
AUTOPSIA DE UNA MOMIA DE LA XXI° DINASTÍA

¡Muy divertido!... ¡Eh! ¿Qué es esto? ¿66.412? ...Sin duda, un número de teléfono...

Veamos, veamos... ¿Y si fuera alguna pista? Ese Abdul es tan bribón que con él todas las opciones son posibles...

Quiero comprobarlo... Llamaré a información...

Sí, le oigo... ¿El número es el de una tienda de antigüedades?... ¿Sharia-el-Khomar?... Gracias...

Evidentemente, es natural que conozca a un anticuario. Sin embargo... ¡Será mejor que me acerque!...

Un rato después, en Shari-el-Khomar, en el límite del barrio antiguo...
¡Aquí es!...

"...Yussef Khadem, antigüedades" ...¡Por lo que se ve, ahorra mucho en luz!...
¡Veamos!...

¡No hay nadie!... ¡Parece el castillo de la bella durmiente!... ¡Oiga!... ¡Oiga!...

Sin embargo, sin que Mortimer se dé cuenta, alguien le observa a través de una mirilla...

Y de repente, una voz a sus espaldas le sobresalta...
Ya saat-el-Bey!
¿Qué?... ¡Buenas!...

¿Desea su excelencia alguna reliquia venerable de nuestro glorioso pasado?...
Sí... ¡Sí!... ¡Enséñeme lo que tenga!...

¿Qué me dice de estos maravillosos esmaltes de la IV dinastía? ¿Y de este pectoral procedente de...?
¿Pero por quién me ha tomado usted? Todo eso no vale absolutamente nada... Eso es lo que le venden a los turistas...

...y me siento francamente decepcionado, porque su establecimiento me lo había recomendado uno de sus clientes: el doctor Abdul Ben Zaim...
¿Abdul Ben Zaim?... No conozco a nadie con ese nombre... ¡Pero aquí vienen tantos sabios!...
...Claro que su excelencia no necesita ninguna recomendación ...Sé apreciar a un verdadero experto, voy a tener el placer de mostrarle algo mejor...
¡Lo prefiero!...

Si su excelencia tiene a bien acompañarme... Por aquí...

Tras un breve instante de duda, Mortimer penetra en la trastienda...
¡Pase, Khawaga, pase!

Pero apenas ha dado un paso cuando recibe en el cráneo un violento culatazo...

¡Muy bien, Bezendjas!...
Sí, pero ha sido una inmensa suerte que estuviera yo aquí esta noche...

No lo pierdas de vista, voy a telefonear al jefe...
¡Estate tranquilo!...

¡Mortimer!... ¡Es imposible! ...¡Buen trabajo!... Sí, sí, en seguida estoy ahí... Tengo que hacerle unas cuantas preguntas con relación al tesoro...

¡Ahora llega! ¡Bajemos al sótano!...
¡Espera, voy a coger un farolillo!...

Dejémoslo en esa cama...

¡Ya está! ¡Y ahora atémoslo fuerte! ¿Dónde hay cuerdas?...
Ahí, en ese rincón...

Pero en ese instante Mortimer, que desde hacía unos segundos fingía estar sin conocimiento...
Sí, ahí, delante de ti...

...propina una buena patada al farolillo, que se estrella contra el suelo...
!
BING

El sótano se sumerge en la oscuridad. Yussef saca su puñal inmediatamente y se lanza hacia la cama...
¡Perro!...

Por su parte, Mortimer, rápido como un rayo, salta y el puñal se hunde en la madera...
DZAC

Ya salami! ¿¿¿Qué ocurre???
¡Ha escapado!... ¡Cuidado, está ahí, cerca de los bultos!

Totalmente desconcertado por este ataque repentino, el Bezendjas abre fuego en dirección a Mortimer...
PAN
PAN
PAN

(1) Estatua funeraria representando al "doble" del difunto.

Traspasando la manga de la chaqueta, el puñal se ha hundido en la madera clavando literalmente a Mortimer a la puerta...

Hell!... Imposible arrancarlo...

¡Ja, ja! ¿No te lo esperabas, eh?...

Pero en el momento en que el Bezendjas se dispone a agarrarlo, nuestro héroe le propina un formidable puntapié...
¡Ni tú tampoco te esperabas esto!
¡Oh!...

Y luego, tras hacer un gran esfuerzo, se desprende del puñal que permanece clavado...
¡Por fin!...

...mientras los dos acólitos caen escaleras abajo y aterrizan bruscamente en el sótano...

...Mortimer sale fuera, cierra la puerta y echa el cerrojo...
¡Uf!... ¡Y ahora he de avisar a Kamal!...

¡Ah! ¡El teléfono!...

Ya salam! ¡Menuda historia! ¡Sí... de acuerdo! ...Llegamos en seguida...

Damned! ¡Me han destrozado la manga!... ¡Vaya corte!... ¡De buena me he librado!...
BOUM

¡Eh! ¿Qué pasa?... Esos tipos parecen ponerse nerviosos... ¡Esperemos que Kamal llegue pronto!...
BOUM
BOUM
Efectivamente, los bandidos intentan abrir la puerta con ayuda de la estatua...
¡Duro!... ¡Más fuerte!...
BOUM
BOUM

Pero en aquel instante, una puerta se entreabre al fondo de un oscuro rincón...
BOUM
BOUM

El misterioso visitante que acaba de penetrar en la morada de Yussef es el coronel Olrik...

BOUM
BOUM
¿Qué significa ese ruido?

¿Ves? ¡Te lo dije! ¡Se ha roto la cabeza!
¡Bah! ¡Lo que tenemos que hacer es salir de aquí antes de que llegue nuestro jefe!...

¡Por todos los demonios! ¡Mis hombres encerrados!...

¿Y bien, chicos?... ¿Os han puesto en cuarentena?...
¡Jefe! ¡Déjeme que le explique!... ¡Mire!... ¡Nos cogió desprevenidos!... Justo en el momento...
Sí, jefe, ese tipo nos agarró... y...

¡Venga, fuera! ¡Salid de ahí, imbéciles, y ay de vosotros como haya conseguido escaparse!...

¡Caramba, ya no se oye nada!... Es curioso... Voy a echar un vistazo por ese lado...

Y cuando Mortimer llega al pasillo que conduce al sótano, una amenazadora sombra aparece de repente en la pared...
¡¡¡OLRIK!!!

¡Tres contra uno! ¡No, gracias! ¡Ya tengo bastante por hoy! Es mejor que me marche...

Damned! ¡Está cerrada! ¡Lo han pensado todo!.... ¡Estoy atrapado como una rata!...

¿Cómo, profesor, nos abandona ya?... ¡No, claro que no!... ¡La fiesta apenas acaba de empezar!

Mortimer, buscando un lugar donde esconderse, se desliza a un rincón de la tienda.

¡Vamos, amigo, está usted atrapado!... ¡No intente nada!...

Protegidos por la pistola de Olrik, Razul y Yussef se lanzan hacia Mortimer con un resplandor de venganza en los ojos...
¡Vamos, apuñaladlo!...

Arrinconado, Mortimer planta cara a sus agresores, cuando...

...palpando detrás de él, toca un pesado cofre de plata...

...lo agarra y, rápido como un relámpago, lo arroja con fuerza al rostro del Bazandjas, que se tambalea con el golpe...

Yussef, loco de rabia, salta levantando el puñal...

...pero Mortimer agarra un pesado sillón y...

...lo lanza contra el anticuario, que lo recibe en pleno pecho...

Ante el giro inesperado que toman los acontecimientos, Olrik dispara, pero al intentar esquivar el sillón, hace un falso movimiento...
PAN
¡¡¡YAOUH...!!!

...y la bala corta una cuerda que mantiene suspendido del techo un lote de objetos de cobre...

...estos, liberados, se precipitan con estrépito...

...sobre la cabeza del pobre profesor, que se desmorona bajo la avalancha...

Mortimer, aturdido, se ve obligado a incorporarse sin miramientos...
Y ahora, profesor...

Pero en ese preciso instante, Olrik se detiene...
¿Qué es eso?...

Dos coches de la policía, con sus estruendosas sirenas, acaban de meterse a toda velocidad en Sharia-el-Komar...

¡Maldición! ¡La policía! Evidentemente, debió de avisarla... ¡Era de temer!...

!
¡Hurra!... ¡La policía!... ¡Socorro, Kamal!... ¡Socorro!...
!

¡Todavía es pronto para cantar victoria!...

Con un chirrido de frenos, los coches se detienen ante la tienda...
¡Aquí es, comisario!...
¿Ah?... ¡Qué extraño que Mortimer no esté aquí para recibirnos!

¡Vaya!... ¡Está cerrada! ...¡Eh, Mortimer!... ¡Abra la puerta!...
BOUM
BOUM
BOUM

Nadie contesta... Esto me huele raro... ¡Derriben esta puerta!...

Dos policías la emprenden a golpes con ella...

...la puerta pronto cede con estrépito...
CRAC

Ya Salam! Aquí ha habido pelea... ¡Registren, rápido!...

¿Y bien?...
Nada, comisario... Excepto huellas de pelea en el sótano...

Seguramente la tienda debe de tener una segunda salida, pero no tenemos tiempo para buscarla. ¡Hay que apresurarse!... Usted, Selim, ponga en alerta a la brigada y mande controlar todo el barrio. Mientras tanto, interceptaremos lo mejor que podamos las calles próximas... ¡Vamos, al trabajo!

...Y los hombres se ponen en movimiento inmediatamente.
¡Atención, abran los ojos!
¡Oiga!... ¡Sí!... Corten el tráfico a partir de Chareh-el-Nahassin...

El tiempo apremia y Olrik y sus cómplices, transportando a Mortimer desmayado, se adentran en el pasadizo secreto...

Olrik y sus hombres alcanzan pronto la casa del barrio antiguo que sirve de segunda salida...
¡Un instante! Voy a ver si la calle está libre...

Sigue ahí, ¡perfecto!

El taxi está esperando en la esquina de la calleja. Sostened a Mortimer por los brazos, como si estuviera borracho... ¡Y sobre todo, cuidado con lo que decís!
¡Entendido, jefe!

¡Ah, por fin, Khawaga!... Me estaba preguntando si...
Sí, me he retrasado a causa de un amigo que ha tomado una copa de más... Ya llegan...

¡Menuda borrachera lleva su amigo!...
¡Es incorregible!... ¡Acostumbra a hacerme este tipo de escenas!

Pero en ese momento, aparecen Kamal y dos de sus hombres...
¡Miren allá!... ¡Ese grupo me parece muy sospechoso!

¡Alto!
!

¡Deprisa! ¡Metedlo en el coche! Yo me encargo de esos...
?

¡Eh! ¿Qué pasa?... No quiero líos con...

¡Tú no te metas en esto!

Y Olrik abre fuego...
PAN
PAN

Los policías disparan a su vez, y las balas comienzan a silbar alrededor del coche; de repente...
PAN
PAN
TAC
TAC
TAC

...una de ellas alcanza mortalmente a Yussef...
¡Ah!

¡Jefe! ¿Qué hago con Mortimer?...
¡Mala suerte! Déjalo ahí y larguémonos!

Y bajo una lluvia de balas, el taxi se lanza hacia el extremo de la calle aún no interceptada por la policía...

Mientras se desarrollan estos agitados acontecimientos en la tienda del anticuario Yussef Khadem, por la carretera de Gizeh...

...llega a toda velocidad el Lincoln negro que lleva a la ciudad al jefe Sharkey y al ayudante Abdul...

¿Diga?...

¡Oiga!... ¿Eres tú, Yussef?

Pues... ¡Sí!...

Ya Salam!
¡No era la voz de Yussef!
CLAC

Este nuevo incidente lleva al límite la inquietud de Abdul...
¡Algo ocurre!... ¿Qué hacer?... ¿Y si fuera a ver al jefe?...

¡Imposible! Esos malditos policías me seguirían...

Tras una breve duda, Abdul toma una decisión y se precipita hacia el teléfono.
¡Oh! ¡No puedo más! ¡Voy a llamar al jefe!

En ese momento, en la habitación de Olrik, en el hotel Shephaerd's...
Pero, jefe...
¡Basta de estupideces!... Te repito que os habéis comportado como unos aprendices... Y Yussef merece lo que le ha ocurrido... Un minuto más y nos cazan a todos...

¡Como a mí! Un poco más y me descubren en un control en Khideiwi Bridge. Menos mal que había dejado a Abdul en la carretera y tenía lista mi documentación falsa y el número de matrícula cambiado, si no...

Pero de repente...
DRRRING
DRRRING
DRRRING

¿Diga?... ¿Qué?... ¿Quién?...

¡¡¡Es Abdul!!!

¡Pásemelo! ¡Pronto!

¡No, señor! ¡Se equivoca!... ¡Sí, sí, se equivoca!...

¿Y bien?...
¡Será imbécil! Telefonear aquí a pesar de mis órdenes y cuando la línea estará sin duda interceptada! ¡Tiene que haberse vuelto loco!...

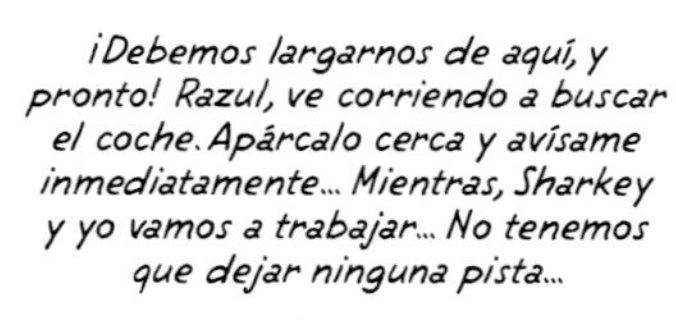
¡Debemos largarnos de aquí, y pronto! Razul, ve corriendo a buscar el coche. Apárcalo cerca y avísame inmediatamente... Mientras, Sharkey y yo vamos a trabajar... No tenemos que dejar ninguna pista...

¡De acuerdo, jefe!

Entre tanto, en la central telefónica...
¿Oiga?... Sí, comisario, la llamada que acaba de recibir en la tienda de Yussef procede de la casa de Abdul Ben Zaim. Y ahora mismo me están comunicando que también ha telefoneado a la habitación número 77 del hotel Shephaerd's, donde le han contestado que se equivocaba...

¡Abdul ha telefoneado al Shephaerd's! Eso quiere decir que Olrik está allí. En ese caso lo tenemos bien atrapado. ¡¡¡Vamos!!!
All right! ¡Vayamos! ¡Por nada del mundo me perdería eso!

Minutos después, los coches de la policía se detienen delante del hotel Shephaerd's...
Rodead el edificio e interceptad el paso a cualquiera que intente salir por otra puerta que no sea esta...

Tomadas estas disposiciones, Kamal y Mortimer se dirigen a la recepción...
¡Comisario Kamal!
¿La policía?... Qué... ¿qué desean ustedes?...

Una simple información: el nombre de la persona que ocupa la habitación 77... Es urgente...
¿La habitación 77?... Creo que un tal señor Hilton... Voy a verificarlo...

Sí... eso es... El señor Archibald Hilton... un hombre de negocios inglés...
¿Archibald Hilton?... ¿Y ese señor se encuentra aquí en estos momentos?...

Sí... Pero el señor Hilton es un perfecto caballero, comisario, y le ruego tenga en cuenta las molestas consecuencias que acarrearía para el buen nombre del establecimiento cualquier acción brusca de la policía...
Sí, sí... Tranquilícese. Operaremos con discreción...

¡Estoy que ardo! Pero tiene razón, el más mínimo paso en falso en un asunto como este sería catastrófico para nosotros... y más en la medida que no tengo orden...

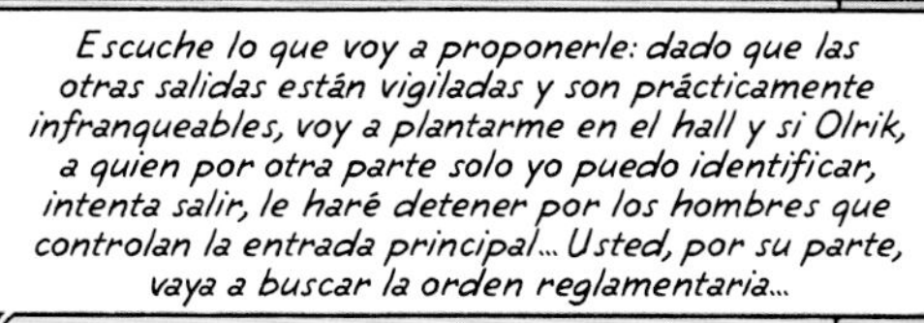
Escuche lo que voy a proponerle: dado que las otras salidas están vigiladas y son prácticamente infranqueables, voy a plantarme en el hall y si Olrik, a quien por otra parte solo yo puedo identificar, intenta salir, le haré detener por los hombres que controlan la entrada principal... Usted, por su parte, vaya a buscar la orden reglamentaria...
¡Buena idea!... Ahora mismo voy.

Y Mortimer se instala detrás de una columna...
¡Este es un excelente lugar de observación!

Pero en esos momentos, el Bezendjas vuelve del exterior...
¿Mortimer?... ¡Voy a salir a telefonear al jefe!

¿Qué? ¿Mortimer en el hall?... ¡Vaya! ¡No han perdido el tiempo!... Escúchame: ponte al volante y prepárate para una salida apresurada...

Goddam! Si Mortimer está aquí, eso quiere decir que el hotel está rodeado y que es inútil intentar salir por detrás...
¡Exacto! Hemos de encontrar otra solución...

Aparentemente sumido en la lectura de una revista, Mortimer, al acecho, vigila, cuando...
Aquí tiene su café, khawaga.
¿Mi café? Si no he pedido nada...

¡Discúlpeme, khawaga! Me lo volveré a llevar.
¡No! Déjelo, un café me sentará bien.
¡Caramba, qué fuerte está!...

Al cabo de cinco minutos...
¡Fíjese en el aspecto de ese hombre! Espero que no se quede dormido en el hall!
Pero... ¡si parece estar borracho!...

Efectivamente, desde hace unos instantes, Mortimer lucha en vano contra un extraño sopor...
¿Qué diantres me está pasando? ¡No es este el momento de dormir!

Pero, a pesar de sus esfuerzos...

...el embotamiento lo vence, y de repente...

...como a través de una niebla, ve a Olrik escoltado por su guardaespaldas salir de ascensor y dirigirse tranquilamente hacia la recepción...

¡Señor Hilton! Dos hombres han venido preguntando por usted hace unos minutos...
¡Ah, sí! ...Ya sé... el comisario Kamal... ¿no?...

Ya sé de qué se trata... Si volviera, dígale que puede encontrarme en el hotel Helmia Palace...
Sí... El otro señor es ese que está ahí esperándole...

Mortimer hace un esfuerzo enorme para levantarse...
¡Deteng!... ¡Det!... ¡Es...!

¿Cómo? ¿Ese hombre? ¡Bromea usted! ¡Está totalmente borracho! Y no tengo humor para perder mi tiempo hablando con semejante individuo... Decididamente, Kamal tiene unas relaciones muy particulares...

El profesor se desploma en su asiento y ve, impotente, cómo Olrik y su acólito abandonan el hall por la puerta principal...
¡La policía! ¡Que los deteng...!

Después, bajo la mirada de los policías de guardia, los dos hombres descienden con desenvoltura, al tiempo que el Lincoln se acerca para recogerles.
Un instante después, el potente coche arranca en el preciso momento...

...en que llega el del comisario Kamal, provisto de la orden...
El coche de la policía se detiene delante del Shepheard's y Mortimer aparece tambaleándose...
¡¡¡EL... EL LINCOLN!!!

Pero la puerta se abre bruscamente y le sobresalta...

Ya salam! ¡Me ha asustado!...

Justo en el momento en que Abdul va a comenzar su confesión, la puerta se abre bruscamente dando paso al doctor Grossgrabenstein.
Guten Tag, meine Herren! ¿El profesor Ahmed no está aquí?

Ach, mein Gott! ¿Qué estoy viendo? ¡Mi ilustre colega, el profesor Mortimer! ¡Perdón! Entshuldigen Sie! ¡No lo había reconocido!... ¿No le molesto?...
¡Oh, no! ¡Al contrario!

¡Mi querido colega! Le he estado esperando todo el día. ¡Me había prometido usted venir a admirar mis colecciones!
¡Discúlpeme! He estado tan ocupado que...

¡Ninguna disculpa sirve cuando se trata de egiptología! Y a propósito, ¿conoce usted mi pequeño tratado "Autopsia de una momia de la XXI dinastía"?... Nein? ¡Ah, es imperdonable!...

Y mientras el exuberante doctor acapara al profesor Mortimer, Abdul, aprovechando esa inesperada pausa, se desliza hacia el exterior...
...y se cruza con el profesor Ahmed, que acaba de llegar...
¿Está aquí Herr Grossgrabenstein? ...¿Pero qué le ocurre? ¡Parece usted muy preocupado!...
Sí... En efecto... Voy a tomar un poco el aire...

¡Buenos días, señores! ¡Doctor, el jefe de guardia me ha dicho que quería usted verme!...
Ach, querido amigo! Tengo que hablarle de mis excavaciones en la tumba de Tanitkara...

Abdul, con aspecto ausente, sale del museo; un inspector se apresura a seguirle...
¡Qué pronto ha salido!

...sin darse cuenta de que un Lincoln negro les persigue a su vez a ambos.

Mientras tanto, Grossgrabenstein, incansable, prosigue sus explicaciones...
Ach meine Lieber! Desde hace 35 siglos, nadie ha entrado en esa tumba. Y mientras, en el exterior, los imperios se desmoronaban, las civilizaciones desaparecían, los ...

Mortimer apenas puede disimular su impaciencia...
¡Qué latoso!

En esos momentos, Abdul, perdido en sus pensamientos...

...deambula por las calles como un sonámbulo...
¡Qué aspecto más extraño tiene!... ¿Pero qué va a hacer?...
HERGE - & C°

¡Eh, cuidado!

Y de repente...
!!

Supongo, profesor, que no me negará usted el error de sus procedimientos de policía aficionado. La pista está ahora totalmente enrevesada. Lo cual es tanto más fastidioso ahora que acabamos de saber que precisamente Olrik es el jefe de esa banda de traficantes de divisas y estupefacientes que intentamos apresar en vano desde hace ya mucho tiempo. Espero que no le sorprenda si la policía toma desde ahora cartas más directas en el asunto y echa mano de sus métodos, menos sutiles que los suyos, tal vez, pero más eficaces...

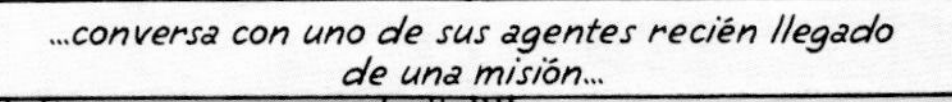

¡Oh!...

(1) Ver "el Secreto del Espadón".

Tras una noche sin historia, Blake se dirige a la mañana siguiente a la estación término de SABENA; pero, para su sorpresa, el "otro" ya le ha precedido.

¡Ese tipo empieza a hartarme!... ¡En fin, a lo mejor toma otra dirección!...

Entre tanto, en El Cairo, ante el giro que han tomado los acontecimientos y tras las divergencias de los distintos puntos de vista entre el comisario Kamal y Mortimer, este, después de haber pedido ayuda a Blake, se ha retirado a Mena-House.

...al pie de la planicie de Gizeh, frente a las pirámides, con la intención de llevar aparentemente la vida de un turista. Y mientras el D.C.4 vuela hacia su destino, el profesor contempla desde la terraza del hotel la impresionante vista que se ofrece a sus ojos...

El hombre de las gafas no puede reprimir una maliciosa sonrisa...
¡Buen trabajo! ¡Justo a tiempo!...

¿El teléfono? Sí señor, a la izquierda, al fondo del pasillo...
Thank you very much...

El capitán se dirige a la cabina bastante intrigado...
Debe de tratarse de una llamada urgente de Londres...

Y el hombre de las gafas se desliza inmediatamente tras él...

¡Diga! ¡Soy Blake!

¡Diga! ¡Diga!

Al no recibir respuesta, Blake siente de repente una extraña sospecha e instintivamente se gira...
!

...pero el hombre de las gafas está ahí y, sin permitirle siquiera esbozar el más mínimo gesto de defensa, aprieta por tres veces consecutivas el gatillo de su pistola, provista de un silenciador...
¡Toma, sucio moscardón!
PLOP
PLOP
PLOP

Sin un grito, el capitán se derrumba a los pies del bandido...
Mucho me temo que va a haber un puesto vacante en los servicios de Scotland Yard...

Se oyen pasos en el pasillo y el hombre cierra la puerta de la cabina, dejando a su víctima dentro...
¡Maldición! ¡Alguien viene! ¡Salgamos pronto de aquí!...

Quiere telefonear, ¿verdad? ... No está usted de suerte; el aparato no funciona...
¡Vaya! ¡Qué fastidio! En fin, muchas gracias...

Y el asesino va a la cafetería...
¡Barman! ¡Un whisky doble, por favor!...
¡Sí, señor!
Y por fin vuelve a oírse el altavoz...
Se ruega a los pasajeros con destino a El Cairo, Kartum, Juba y Stanleyville, suban a bordo...
My Godness! At last!

Visiblemente tranquilizado, el misterioso personaje se apresura en abandonar la cafetería y reunirse con los viajeros que ya están subiendo a bordo.
OO-CBI

Tras una corta espera, aparecen por fin en el cielo las luces de posición del O.O.C.BI. Y unos instantes más tarde el aparato aterriza. Los pasajeros comienzan a desembarcar. Mortimer, contentísimo, se dispone a recibir a su viejo compañero de aventuras...

Han pasado cuatro días, y el misterio que rodea la desaparición de Blake sigue como al principio. Conociendo los medios de que dispone la organización de Olrik, Mortimer teme que el capitán haya sido víctima de alguna maquinación criminal. Pero, como por otra parte se pregunta si su amigo no se habrá visto obligado a modificar de repente sus planes, ha enviado un telegrama a Scotland Yard, con el fin de tener una explicación directa. Y este es el estado de ánimo con el que lo encontramos en la mañana del quinto día, mirando el correo recibido, instalado en una terraza del Mena-House...

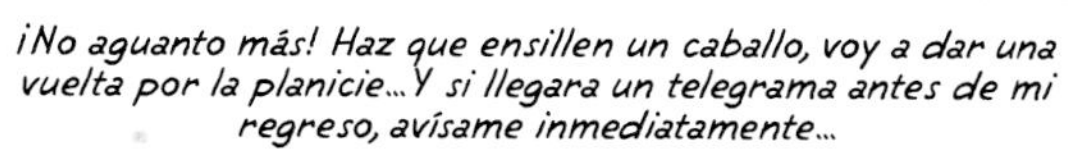

Deteniendo su caballo al pie de la Gran Pirámide, Mortimer levanta pensativamente la vista hacia la gigantesca tumba del faraón Keops...
Y pensar que el enigma quizá está aquí, al alcance de la mano... Sí, todo me dice que esta montaña de piedra no ha contado todos sus secretos y que el papiro de Manetón debe de responder a una realidad... ¡La cámara de Horus existe!... Estoy seguro...

(1) Director de los trabajos, (2) Lugarteniente.

Ante estas palabras, Sharkey, totalmente enfurecido, salta fuera de la zanja blandiendo el látigo...
Damned! ¡Ya está bien!

Pero en ese momento una mano atrapa su muñeca con tanta fuerza que le obliga a soltar el látigo...
?

Rojo de cólera, Sharkey se gira y...
¡El barbudo! ¡Baja de ahí y verás lo que es bueno!...

Ante estas palabras de desafío, el profesor descabalga con lentitud, sin perder la calma...
Ya veo que este muchacho necesita una lección de educación...
...Y tú una lección de boxeo...

Y sin darle tiempo a ponerse en guardia, Sharkey lanza un potente puñetazo que Mortimer logra esquivar...
¡Toma!

...respondiendo enseguida con un impresionante derechazo...
¡OH!...

...que desploma a Sharkey...

...y lo manda rodando al fondo de la zanja...

¿Y bien, señor profesor? ¿Se considera satisfecho de su alumno?...
¡Ahora verás! ¡Te voy a cortar las alas!...

Pero en ese preciso instante...
?
¿Qué significa ese jaleo?
?

Es el inefable doctor Grossgrabenstein, que acaba de surgir del pozo de acceso a la tumba.
!
Señor Sharkey, haga usted el favor de guardar el arma... ¡Esto no es un campo de tiro!...

(1) Galería excavada por ladrones de tumbas. (2) ¡¡¡CUIDADO!!!

Mortimer tiene el tiempo justo de ver un bloque de roca caer sobre él desde lo alto de la muralla...

En una fracción de segundo, se pega al muro y el bloque se estrella a sus pies...

En ese preciso momento, Grossgrabenstein sale del pozo...
Decididamente, doctor, algo pasa aquí...
¿Qué quiere usted decir?...

¡Por poco muero aplastado por este trozo de piedra que acaba de caer de ahí arriba!...
Was sagen sie?

¡Esto ya es excesivo! ¿Dónde está el capataz? ¡RAIS! ¡RAIS! ¡RAIS!

Donnerwetter! ¿Quién es el estúpido animal que se divierte tirando piedras desde ahí arriba?
Nadie trabaja ahí, señor...

¿Nadie? ¿Y entonces, quién ha empujado esa roca? ¡Venga, contesta!...
No lo sé, señor... Tal vez sea el espíritu de Tanit... Estará ofendido por las excavaciones...

¡Ja, ja, ja! ¡El espíritu de Tanitkara! ¡Vaya broma!

¿Ha oído profesor? ¡Espero que no sea usted supersticioso!...
No, no lo soy... Además, la experiencia me ha enseñado que los muertos son menos de temer que los vivos...

Al cabo de unos momentos, Mortimer, de nuevo sobre su caballo, se despide del doctor.
Le espero a la hora del té. ¿De acuerdo?
All right!...

Y Mortimer, preocupado por los últimos acontecimientos, regresa camino del Mena House...
Me pregunto quién pudo lanzarme esa providencial advertencia...

Ya Salam! ¡Ya puede reírse el Mudir! ¡Esa piedra no ha caído por sí misma!...
Inch Allah!...

Mientras tanto, Sharkey, escondido detrás de un montículo, ve cómo el profesor se aleja.
¡Has vuelto a escapar! ¡Pero ya veremos quién es el último en reír!...

# MISTERIOSO CRIMEN EN ATENAS

## ¿HAN ASESINADO AL CAPITÁN FRANCIS BLAKE?

A.P. notifica desde Atenas que el capitán Blake, el célebre héroe de la Segunda Guerra Mundial, ha sido asesinado en esta capital. Las autoridades griegas, ante el deseo expresado por Scotland Yard, habían prohibido publicar la noticia hasta hoy, e incluso en estos momentos tan solo ha sido descubierto un ápice del velo que cubre el extraño suceso. Nada, por el momento, permite suponer ni confirmar la opinión según la cual se trataría de un crimen político.

**Una misteriosa llamada teléfonica**

Atenas. – A. P. comunica los siguientes detalles con respecto al asesinato del capitán Blake. Este –que se dirigía a Egipto en un avión regular de Bruselas-El Cairo, de Sabena– recibió una llamada telefónica en el aeropuerto de Hellenikón, cuando el avión hacía escala en Atenas. Como el capitán no compareció en el momento de la salida, el avión emprendió el vuelo sin él. Poco después, un viajero encontró la puerta de la cabina telefónica bloqueada y vio en su interior el cuerpo sin vida del oficial. Seguidamente, la policía hizo acto de presencia en el lugar del suceso.

**El cadáver desaparece...**

Pero a la llegada la policía pudo constatar con estupor que el cadáver había desaparecido. Tan solo encontraron huellas de sangre y tres casquillos de bala, como únicos testigos del drama que allí había ocurrido.

**Un gran misterio**

En razón a la personalidad de la víctima, el mayor secreto rodea la investigación. Lo único que podemos decir es que Scotland Yard ha enviado a dos de sus mejores agentes a Atenas, y que se hará todo lo posible para que el tenebroso asunto sea aclarado, aunque por el momento parece ser que hay una ausencia total de indicios.

**La carrera del capitán Blake**

El capitán Blake, que acaba de morir en las condiciones misteriosas que les acabamos de relatar, había cursado sus estudios en Oxford, donde tras

**EL CONGRESO AMERICANO**

Ha sido nombrado Senador por el Estado

**EN BUSCA**

El gobierno
to de la histo
el "paraíso" n
trolado hace
los funciona
a su llegada d
los aduaneros
nota de la aut
es sus agotad
lefónicas.

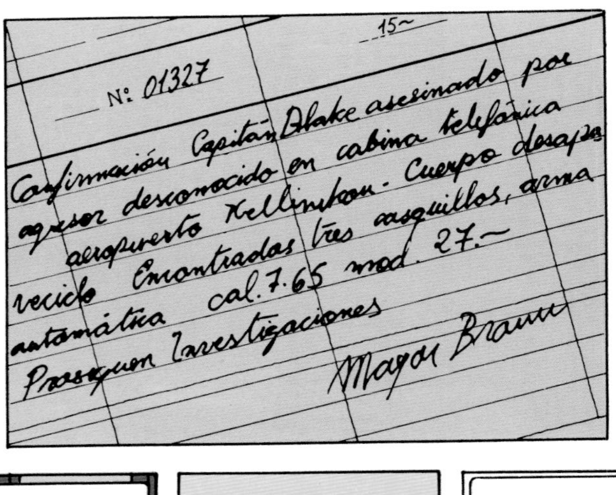

Y mientras el profesor Mortimer, desesperado por esa terrible noticia, se retira a su habitación, el empleado Mussa, que lo ha oído todo de lejos, rinde cuentas de su misión al Bezendjas...

¿CONSEGUIRÁ EL PROFESOR DESCUBRIR EL MISTERIO DE LA GRAN PIRÁMIDE Y VENGAR LA MUERTE DE SU AMIGO?
LO SABRÉIS LEYENDO LA SEGUNDA PARTE...

# LA CÁMARA DE HORUS

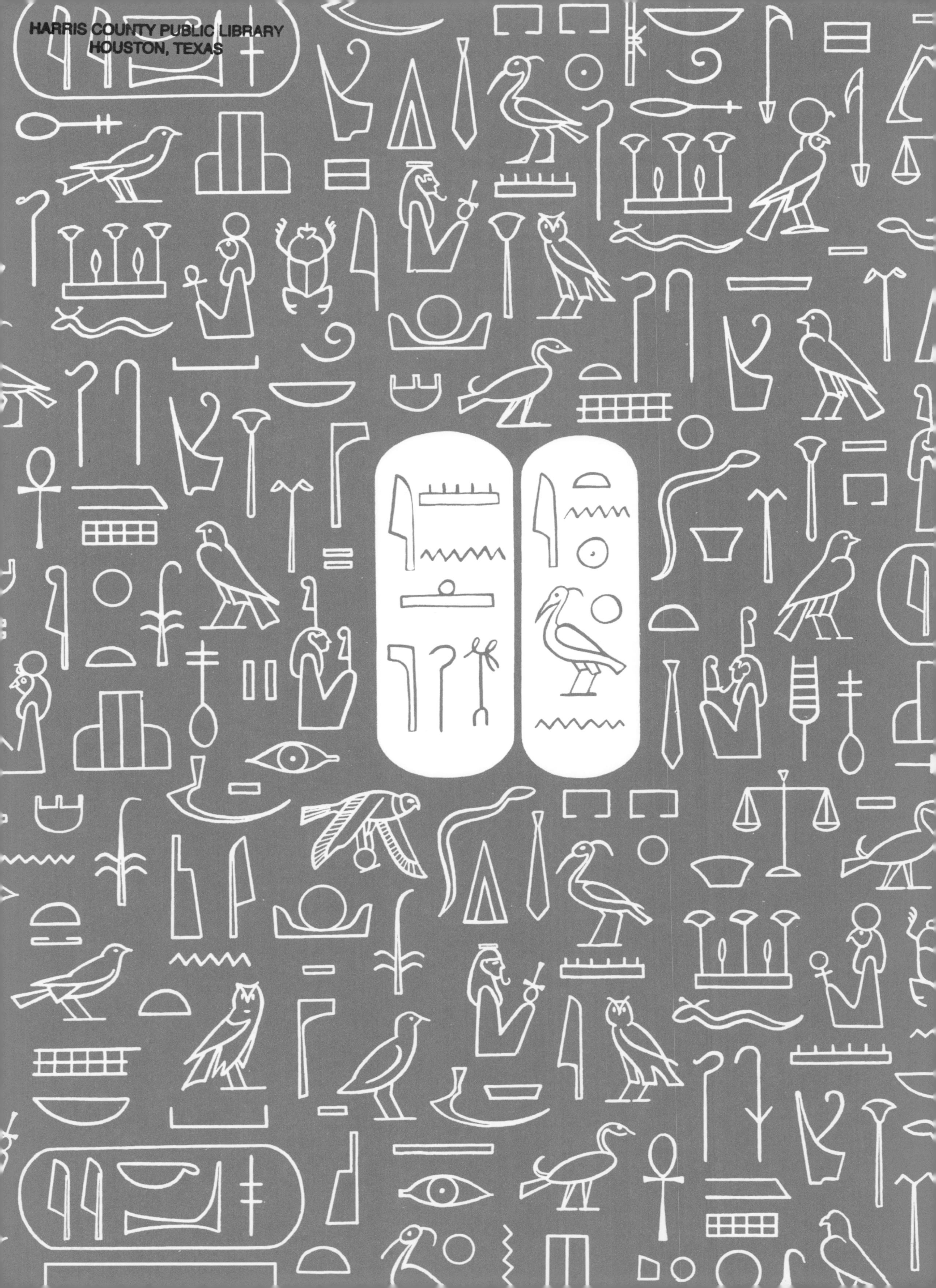